CW00816009

Gallimard Jeunesse / Giboulées sous la direction de Colline Faure-Poirée et Hélène Quinquin. Mise en page : Syndo Tidori
© Éditions Gallimard Jeunesse 2007. ISBN : 978-2-07-061398-4. Premier dépôt légal : mai 2007. Dépôt légal : novembre 2020. Numéro d'édition : 376005.
Loi n° 49956 du 16 juillet 1949 sur les publications destinées à la jeunesse. Imprimé en France par Pollina - 95385C

Bénédicte Guettier

GALLiMARD jeunesse GiBOULÉes

Aujourd'hui, l'âne Trotro fait du vélo...

IL FAIT DU VÉLO
SANS LA MAIN
GAUCHE...

IL FAIT DU VÉLO
SANS LA MAIN
DROITE...

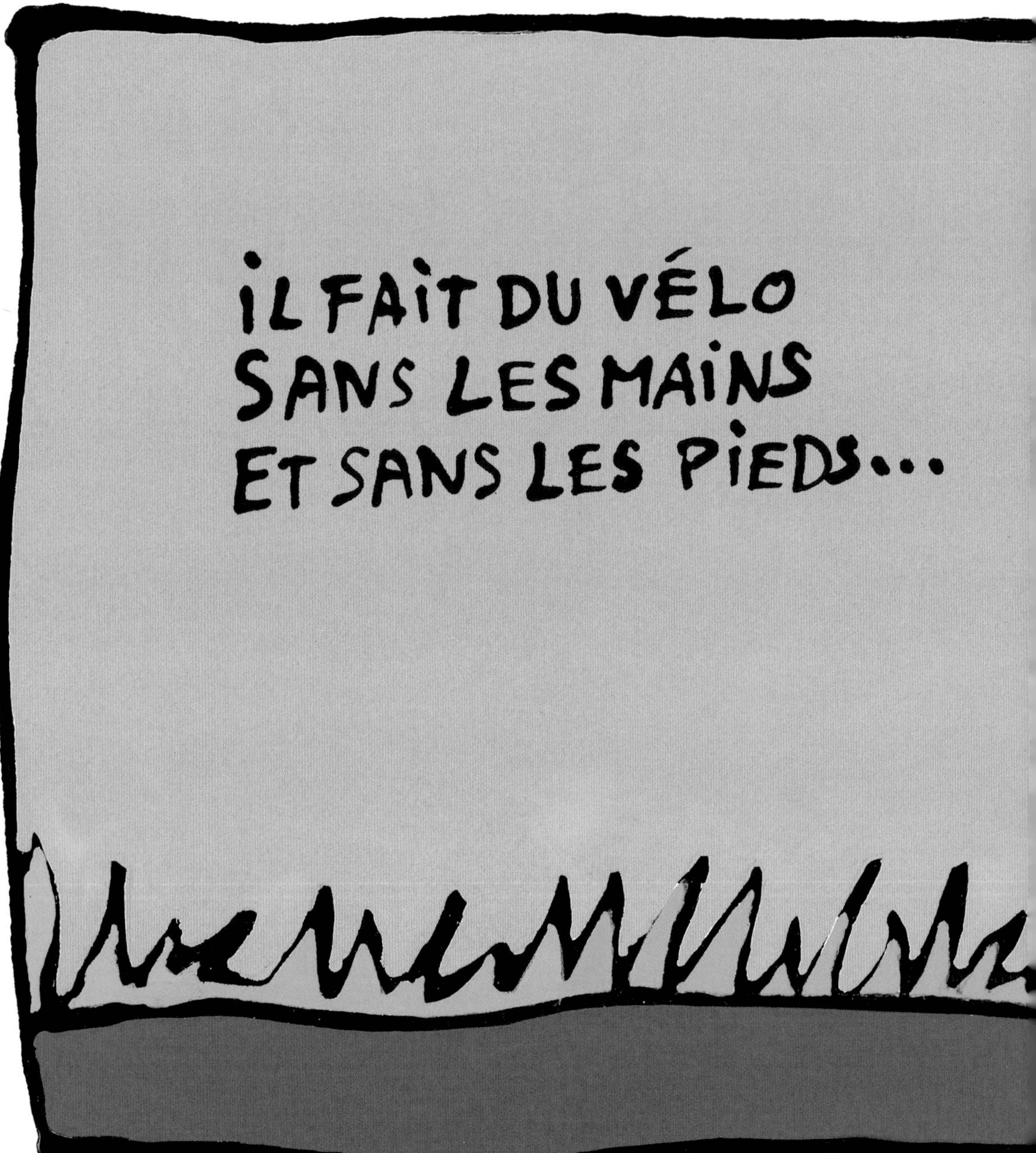
IL FAIT DU VÉLO
SANS LES MAINS
ET SANS LES PIEDS...

OH ZUT!
IL EST TOMBÉ...

MAINTENANT, C'EST LE VÉLO QUI FAIT DE L'ÂNE TROTRO !